KB096729

나를, 담은 시

버리고 싶은 나, 가지고 싶은 나

발 행 | 2024년 06월 13일
저 자 | 계선미
펴낸이 | 한건희
펴낸곳 | 주식회사 부크크
출판사등록 | 2014.07.15.(제2014-16호)
주 소 | 서울특별시 금천구 가산디지털1로 119 SK트윈타워 A동 305호
전 화 | 1670-8316
이메일 | info@bookk.co.kr

ISBN | 979-11-410-8961-0

www.bookk.co.kr

나를, 담은 시

버리고 싶은 나, 가지고 싶은 나

지음 계선미

contents

프롤로그 06

제 1장 詩 ; 나이에 맞는 그릇

1. 사랑스럽지 10
2. 비가 촉촉이 내리는 아침 12
3. 카페, 그곳에는 14
4. 나를 사랑할 때 16
5. 수채화 색감들 18
6. 욕심 20
7. 돋보기안경 22
8. 게으름 24
9. 봄 이가 봄꽃들을 모두 불러왔어요 26
10. 반응 28
11. 노부부 30
12. 사랑은 행동으로 반응한다 32
13. 주저함이 오래되지 않도록 34
14. 나이에 맞는 그릇 36
15. 산책 38
16. 내가 만난 아이들 40
17. 마음 나눔 기도 42
18. 이해한다는 것은 44
19. 바라봄의 인식 46
20. 사랑하고 이별하고 48

제 2장 에세이 ; 내가 머무는 곳, 하사랑 공동체

1. 사랑하는 나의 벗 52
2. 나의 사랑이 머무는 곳 하사랑 공동체 54
3. 체중감량 56

에필로그 58

프롤로그

2022년 5월의 봄,
서울시 50플러스재단 중장년 일자리 사업을 통한, 금천 50플러스센터 지역에서 『한국교육100뉴스』 언론기관의 인턴십 기자 활동을 수행했다.

'글'의 특성과 힘이 글에 반영되어 있다는 사실을 알게 되면서 글쓰기라는 활동이 더욱 매력적으로 다가왔다. 글을 통해 내 안에 가지고 있는 마음의 결 들을 좀 더 확장 시키고 싶었다.

2023년, 책 쓰기 코칭 지도사 양성 과정에서, 글쓰기를 배우면서, 공저를 통해 책을 출간해 보는 기쁨을 맛보았다.

올해는 더 많은 욕심이 생겼다. 나의 온전한 글로만 담아보고 싶어 일상의 시상과 마주하며 '오늘도 나는 글을 쓰는 중'이다.

습관적으로 글쓰기의 재미를 알아가는 시간이 되길 바라면서 난, 주의 깊게 관찰해보고 발견하며 나를 알아가는 시간을 가져보려 한다.

1장 詩
나이에 맞는 그릇

사랑스럽지

나의 보석
나의 사랑
나에게 온 선물

너에게는 그 사랑이
한없이 부담스러워
선을 확실히 그어주는 너

나의 사랑은
거리조정 사랑을
조금씩 조금씩 맞추어

네가 너의 곁을 원할 때
나는 적극적으로
너의 곁에 머물렀던
너의 거리 두기 사랑으로
나는 익숙해졌고

이제는 내가 행복한 일들을 찾으려
적극적으로 움직였어

돌아보니
너의 거리 두기 사랑
지금은, 고마워

나의, 딸

[사랑스럽지 詩 감상평]

나의 사랑스러운 아이
나에게 온 너는 보석이었어
나에게 온 너는 사랑이었어
나에게 온 너는 최고의 선물이었어

너는, 그 보석이 부담스러워
너는, 그 사랑이 집착으로
너는, 최고의 선물을
잠시 보관함에 넣어두고 싶어 했어

나에게 거리조정 사랑법과 속도 조절 사랑은
무척 어려운 과정이었지만
점점 익숙해져 가는 나를 발견하면서
놀라기도 했지

익숙해져 가는 나의 마음과 마주하면서
지금은 네가 제안한 너의 사랑법
고마워
사랑스럽지, 나의 딸
세은이

비가 촉촉이 내리는 아침

짙은 초록 잎들을 촉촉이 적셔주는 비
달리는 버스와 자동차를 닦아주는 비

보도블록 안에 고여 잠겨 있는 비
우산의 지면을 똑똑 두드려주는 비

이쁜 레인부츠가 사고 싶고
신고 싶게 만드는 비
이쁜 레인부츠 사러 갈까!

회색 하늘에서 비가 내려

[비가 촉촉이 내리는 아침 詩 감상평]

녹음이 짙어진 나뭇잎에
살포시 몽글몽글 맺혀져 있는 빗물
청량하면서 눈부시게 반짝여

하늘은 회색으로 변했지만
세상은 온통 빗물로 닦인다

다음 날 아침, 반짝이는 햇살, 공기, 바람, 풀 냄새, 보도블록,
버스, 자동차도
빗물에 적셔진 곳곳들
깔끔하게 반짝여

빗물에 흠뻑 젖은 우산도 말리고
빗물에 목욕했던 레인부츠도 말리고

나의 센시티브 해진
마음 주머니도 잠시 말려 본다.

카페, 그곳에는

그곳 카페는 재즈가 있다
그곳 카페는 차와 커피와 조명이 있다

그곳 카페 테라스에선 사람들 움직임과
반려견의 움직임을 볼 수 있다.

그곳 카페는
저녁 7시, 땅고가 있다

그곳 카페는
스페인어가 있다

그곳 카페는
와인이 있다

그곳 카페는
사교가 있다

저녁 7시, 카페에서 '땅고'를

[카페, 그곳에는 詩 감상평]

그곳 카페
낮에는 보통 카페들과 다를 게 전혀 없는 카페
엔틱 한 분위기 카페, 책 하나 들고, 노트북 들고
차 한잔시켜 놓고 하고 싶은 일
오랫동안 할 수 있는 편안한 카페이다.

그런 카페 One-Pick으로 있으면 참 좋은 것 같다

요 카페, 저녁이 되면
재밌는 일이 생긴다.
의자와 테이블을 치우고 넓은 공간에서 춤을 춘다.
바로 '땅고' 탱고가 스페인어로 '땅고' 절도 있게
리듬에 맞춰 추어지는 사람들의 몸짓은
정말 아름다웠다.

'깜비오'(남녀 파트너 체인지)하면서
계속 추어지는 '땅고"뒤에는 '쁘락'(뒷풀이)이 있다.
와인과 함께 춤에 대한 얘기도 하면서
서로를 조심히 알아가는
사교모임 '땅고'에는
무례함이 전혀 없었다
배려하며, 사랑하며, 타인의 인생을 경청하는
'여유'가 이곳 카페에는 있다.
저녁 7시!

나를 사랑할 때

나의 몸
나의 눈빛
나의 입술
나의 생각은 나를 인정하고 배려하고
존중한다

나의 온유함이 흘러
나의 평온함이 흘러
나의 소중한 사람들에게

자유함이
따듯함이
온유함이
평온함이 흐른다

나를 존중한 나에게서
애정과 조심스러움은
나의 가장 소중한 사람들에게 전해져
그들이 안정할 수 있고 평안함으로
인도해 준다.

배려와 상냥함의 미덕

[나를 사랑할 때 詩 감상평]

내가 가지고 싶은 끌림은
배려, 상냥함
난, 버츄카드에서 배려와 상냥함을 가져왔다.

배려와 상냥함의 미덕은 많이 닮아있다.
몸과 맘을 조심히 다룰 줄 알아야 하고
사물에 대한 존중함과 관심과 애정
친절함을 담고 있다.

배려와 상냥함이 내 안에 있을 때
그 빛은 나의 소중한 사람들에게도 전해져
함께 즐거워지고, 행복해진다.

배려와 상냥함은 몸과 마음을 조심히 다룰 줄 알 때
나를 스스로 사랑해 줄 수 있을 때
나의 소중한 사람들도 나의 빛이 전해져 안전하고 평안한
곳으로 함께 걸어갈 수 있다

가지고 싶은 나, 배려와 상냥함의 나로서
소중한 사람들과 나누고 싶다
배려와 상냥함의 미덕을…

수채화 색감들

내 눈에 들어온
수채화의 꽃잎들의 색감

알록달록 형형색색의
그레데이션의 색들은

내 동공의 눈동자를 통해 들어와
내 맘 을지나
밝은 빛이 되었고

내 몸의 아팠던 상처를
치유하는 파장으로 전해졌다

수채화 색감의 파장은
나를 흠짓 놀라게 했고

그 색감들은
내 속의 이물질을 배출해 내듯

나를 맑고 깨끗하게
정화 시켜 주었다

치유

[수채화 색감들 詩 감상평]

책 표지가 이쁜 꽃들의 그림들이
수채화로 물들어진 수채화 책이 있었어

수채화로 그려진 그림책 안은
이쁜 꽃들이 파스텔 색깔을 자랑하며
밝은 기운으로 내 속으로 성큼 들어왔지

그 기운은 나를 환하게 미소 짓게 하고
고운 수채화의 색깔들은
나의 몸과 마음을 온전하게 회복시켰어

알록달록한 색감들은
나의 영혼과 육체를 어루만지듯
나는 따스함과 평안함으로 수채화의 색감들을
내 눈동자에 내 마음에 고이고이 담았어

욕심

내 마음이 평정심에서 흔들린다
가지고 싶은 것이 생겼기에

가지고 싶은 마음에
마음은 무거워지고
머리도 무거워지고

그런데
한편으론
가지지 못했어도
지금껏 잘 살았는데

생각해 본다
가지고 싶은 거
흘려흘려보내

지금 아닌
나에게 주어질 때
가질 수 있다면

잃었던 평정심
다시 챙겨
가지고 싶었던 마음
내려본다

비운 마음을 기도로 채워본다

[욕심 詩 감상평]

인생 중반을 살아도
여전히 마음이 흔들린다

나이가 드니
성인이 된 자식 생각만큼이나 많아진다

나이가 든 만큼
가져야 되는 것들이
바라는 것들이 생각과 마음으로 채워진다

생각해 본다
비교 대상들은 외적을 바라본 나로부터 온다
평정심을 잠시 잃었던 마음을 챙겨
가져야 되는 거 비우고, 비운 마음에

기도로 채워본다
내 마음의 평안함을 위해

돋보기안경

미간이 점점 좁혀진다
눈가에 주름도 지어진다

스마트폰에 글씨를 읽어 내릴 때도
흐릿흐릿

노트북을 사용할 때도 흐릿흐릿
내 앞에 사물들이 흐릿흐릿

나의 동공의 눈동자는
점점 흐려진다

돋보기안경을
버티고 버텨
내 귀에 걸치지 않으려고
애씀도

이제는 별수가 없다
돋보기안경을
내 귀에 걸치고 안경 너머로

동공의 눈동자가 커지고
글자가 확대되고
시야가 비로소 뚜렷해졌다

돋보기안경 너머 또 다른 세상의 제2막

[돋보기안경 詩 감상평]

돋보기안경을
내 귀에 걸치고
난, 또 다른 세상을
뚜렷하게 맞이한다.

뚜렷해지는 사물들은 내 생각을 바르게 정리해주고
나를 분주하지 않게 정돈의 상태로 이끌어 준다

나이 듦에 자연스런 신체 노화를 애써 감추려 했던
내 생각까지 또렷하게 인지시켜주는
돋보기안경

이제는 내 신체의 노화를 받아들이며
당당하게 내 귀에 걸쳐 본다

이제는
떨어질 수 없는 내 분신이 되어 버린
작고 작은 돋보기안경 너머로

인생의 2막,
갈 길의 방향을 뚜렷하게 바라보며
힘차게, 담대하게 나아가련다.

게으름

오늘도 해야 할 일을 미루고 있다.
아침에 눈을 떠서

치아를 깨끗이 닦고, 공복 상태에 미지근한
물을 마시고, 하루의 첫 시간 기도와
새벽 걷기 1시간 운동

살짝 걷기운동에서 나의 루틴이 멈추었다.
날씨가 을씨년스러워서

게으름은 핑계가 많다.
무엇 때문이라는 핑계
핑계 대는 게으름으로 루틴 하나를
잃어버렸다.

오늘 난,
새벽 첫 공기로
나의 몸을 짜릿하게
건강한 부지런함 하나
내 것으로 채우려 했지만

핑계라는 게으름으로
부지런함을 도둑맞았다.

버리고 싶은 나

[게으름 詩 감상평]

버리고 싶은 나
나에게 있는 게으름

나에게 있는 게으름을 버리고 싶은 나
버리고 싶은 게으름을 차곡차곡 모아
하나씩 버리면
나는 가지고 싶은 부지런함이 모아지겠지

버린다고
부지런함이 채워지는 건 아닐테고
게으름을 이길
마음의 다독임으로
집중하고, 전념하는 자세로
부지런 함에게 내가 달려갈 때
게으름은 나에게서 버려지겠지

버리고 싶은 나의 게으름
나의 게으름을 안고 있는
버리고 싶은 나

봄이가 봄꽃들을 모두 불러왔어요

봄을 알리는
입춘이 지나고 경칩이 지나고
꽃샘추위가 지나고

드디어
봄이가 봄꽃들을 불러냈어요
산유화, 개나리, 목련, 벚꽃,
봄이가 불러낸 봄꽃들로
난리 난리가 났어요

봄꽃
만개한 꽃들을 구경하려고
삼삼오오 사람들이
밖으로 밖으로 나와요

봄이가
봄꽃들을 모두 불러내듯이
사람들도 밖으로 밖으로
모두 불러냈어요

4월, 연둣빛 나뭇가지에 봄꽃들이 활짝

[봄이가 봄꽃들을 모두 불러왔어요 詩 감상평]

나뭇가지에 연둣빛 새순들이 올라왔어요
연둣빛 잎들이 옹기종기 포개어져
가지에 붙어있어요

4월,
연둣빛 나뭇가지들이
즐비하게 서 있네요

봄이
부지런을 떨어요
샛노랑이 개나리꽃
새 하양의 목련화가 질까봐서
솜사탕의 벚꽃잎들이 꽃비로 내려 바닥에 흩어져있을까봐

사람들을 집 밖으로 움직여요
봄이 금 새 지나가는 것이
너무 아쉬워서

반응

나이가 들면서
외부 반응에 대해
조금씩 느려진다

나이가 들어도
세상 속도에
너무 늦게 반응하지 않으면서
살아내고 싶다.

디지털시대를 살아가면서
기계치도 아닌, 우물 안 개구리도 아닌
적절하게, 스마트하게 문물을 다루면서

디지털 세상과 마주하며
느리게도 빠르게도 아닌,
적당한 타이밍에 맞는
반응을 할 수 있는

그런,
나이 듦의 삶을 살아가면
참, 좋겠다.

자연스럽게 스며들어 반응하는 삶

[반응 詩 감상평]

하루가 참 빠르다
하루가 빠르니 일주일이 빠르고
한 달이 후딱 이다

음악용어에 나오는
마치, 비바체처럼

세상의 속도는
모든 사물에 익숙함이 필요한 나에게
반응에 대한 타이밍을 놓쳐 버리게 하는
순간이 있다.

세상의 속도를
인식하면서, 적절하게
반응하는 여유 있는 모데라토로
살아가련다.

너무
느리지도, 빠르지도 않은 보통빠르기로

그래서
나에게 세상의 속도가
자연스럽게
스며들어 올바른 반응을 할 수 있도록

노부부

빨간 신호등이 켜져 있는
횡단보도에서

나이 드신 할아버지와 할머니를 보았다
부부는 두 손을 꼭 잡고 계셨다.

두 손을 꼭 잡고 계신 부부를 보고 있는 것만으로도
부부가 존경스러웠다.
"왜, 일까?"

순간,
아마도 꼭 잡고 있는 두 손에서 그분들의
함께 걸어온 인생이 보였나보다.

부부가 머리가 희긋 해지고 육체가 쇠약 해 질 때까지
여전히 동반자로써 함께 두 손잡고 걸어오신 그 길들이

부부의 꼭 잡은 두 손을 물끄러미 바라보며
라일락꽃 향기가 전해졌다.

라일락꽃의 꽃말이
첫사랑과 젊은 날의 추억이라던데

라일락 향기에는 첫사랑, 젊은 날의 추억들이

[노부부 詩 감상평]

두 손 맞잡은
노부부 모습에서

그분들의 삶을 잘 알 수 없어도
마음의 감동으로 다가오는
모습이 된다는 걸 느끼면서

노부부에게서 라일락꽃 향기가 전해진 것처럼
우리 부부도 작고 작은 비언어적인 모습에서
라일락꽃 향기를 흘릴 수 있는 부부이길

그런, 부부일 수 있길
잠시, 생각해보았다.

사랑은 행동으로 반응한다.

사랑은 인격
사랑은 믿음
사랑은 정의
사랑은 공의다.

충만한 사랑을 받은 개체는
어떠한 상황과 환경에도
적절한 대처와 살아내는 힘이 생기고
지혜가 생긴다.

사랑은 지혜이며
지혜는 올바른 태도로
반응한다

사랑은 바르고 빠르게
행동으로 반응한다.

사랑은 바르고 빠르게 행동으로 반응한다

[사랑은 행동으로 반응한다 詩 감상평]

사랑은 지혜를 담는다
지혜는 본질에 대해 원칙성을 가지고 있으며, 유연성을 갖는다

지혜는 혼란스럽지 않고
올바른 분별력과 판단력을 갖는다

지혜는 분주함 속에 정숙함이 있고
목적의 방향이 분명한 곳으로
바르게 반응한다.

사랑은 이 모든 것을 담고
반응하는 행동이다.

이것이 사랑인듯하다.

주저함이 오래되지 않도록

나의 버킷리스트
살면서 얼마나
이루며 살아왔을까?

맛집, 여행, 산행, 봉사
지적 호기심의 자기계발
독서모임, 자전거라이딩,
참, 많은 걸 경험하면서 살았다.
시시하지만, 찬란한

망설여짐이 길어지면
하고 싶은 걸 놓치고 만다
그때그때, 하고 싶은 마음이 들 때

바로
움직인다면
버킷리스트는 하나하나 이루면서
살아갈 듯하다.

지금 이렇게
단편집 투고로 글쓰기를
하는 것처럼

시시함의 찬란한 일상이 되기를

[주저함이 오래되지 않도록 詩 감상평]

아침에 눈을 떠
'하루'를 맞이한다
"뭘, 먹을까?"부터 시작해서
"할까, 말까"

집안 대청소를
운동을
마트를
참, 시시하고도 소소한 일상의 망설임과 주저함

주저함 없이
주저함이 오래되지 않는다면 맛난 음식을 만들어
나를 기쁘게 할 수도

대청소에도 주저함 없이 청소한다면
상쾌해질 수도

운동에 주저함이 없다면 건강한 체력으로
삶의 질을 높일 수도

시시함의 소소한 일상이 주저함이 오래되지 않는다면
차곡차곡 시시함의 찬란한 일상을 하루하루 채우며 살아갈 텐데

나이에 맞는 그릇

나이라는 것이 참, 묘하다
나이에 나를 담는 그릇을 얹어 본다.

10대는 토기 그릇처럼, 꾸밈없는 세련미 없이
나의 태도에 어떠한 교양을 얹지 않아도 되는 그릇이었다

20대는 빗살무늬 그릇처럼, 좌충우돌 젊은 날의 질풍노도시기를
담아낸 그릇이었다

30대는 청자 그릇처럼, 결혼을 하고 아이를 낳고 인생의 재탄생으로 원숙미를 담아내는 그릇이었다.

40대는 백자 그릇처럼, 삶의 진중함을 담아내는 그릇이었다

50대는 흑자 그릇처럼, 투박함도 화려함도 아닌, 세상 삶의 어울림을 담고 덜하지도 더하지도 않는 정도와 적당히를 잘 담아내는 그릇 이고 싶다.

나를 돋보여주는 그릇

[나이에 맞는 그릇 詩 감상평]

나이가 들어간다는 것은
책임감도 함께 묻어가는 것 같다

나이가 들어간다는 것은
나를 담아낸 그릇을 빛나게도
투박하게도 할 수 있다

나이가 들어간다는 것은
나를 담아낸 그릇이
편하고, 부딪쳐도 쨍하지 않고
누추하지도, 튀지도 않는

그래서,
내가 담겨진 그릇은 플레팅이 잘 되어진 그릇이고 싶다

산책

친구가 걸어보고 싶은 길이 있다기에
함께 걸었다
도로 양옆으로 벚꽃나무가
쭉 뻗어 있는 길

키 작은 벚꽃 나무의 벚꽃이
꽃비가 되어
걷는 길 앞에 서 살랑거렸다

꽃비가 흩날려
떨어진 바닥길 을
사뿐히 즈려밟은
걸음이 좋았다

벚꽃이 지고
라일락꽃 향기가 짙은 시간이 찾아온다

연둣빛에서
연초록으로
녹음이 짙은 찐 초록의 계절이 될 때에도

종종, 만나
산책하고, 맛난 거 먹으면서
사부작 사부작 합시다
너와 함께 라면, 사부작 산책길은 어디든지 다, 좋다.

산책길, 너라서 참, 좋다

[산책 詩 감상평]

오랜만에 만난 친구
언제나 그렇듯이 늘 만난 것처럼
편한고 한결같은 친구

작은아이 출근길 데려다주면서
보아왔던 탄천 길을 산책하고 싶다고
벚꽃이 너무 이쁜 길이라며
살짝 알려주면서

"너랑, 걷구 싶은 길 있어"라고 얘기해주는 친구가 있어
참, 좋다.

난,
이른 아침 달려갔다
맛난 중국음식도 먹고, 차도 마시고,
이젠 먹고 마셨으니
이쁜 길 걸어야지

꽃비가 흩날리고
빨강 명자꽃이 핀
쭉 뻗은 길을 걸으면서
많은 수다를 떨지 않아도
그냥 좋았다.
천천히, 웃으면서 너와 걷던 그 길이

내가 만난 아이들

발달장애인 복지관에서 만난, 8명의 아이
연령은 고등학생 친구들이지만
지적 수준은 초등학교 1학년 아이들

학교 수업을 마치고
복지관의 다양한 프로그램으로
학습하고, 익히고, 훈련한다.

상동 행동을 보이는 아이가 있고
자기감정을 주체하지 못해 표현을 격하게 표현하는 아이도 있다.

안 되는 것은 단호하게 정확히 "안돼"라고 말해 주는데,
바닥에 엎드려 욕구본능을 표현하고,
친구를 물기까지 하는 아이에게
마음 한구석은 속상하다.

이 아이도 본능적인 자기 욕구를 통해 온몸으로 표현했을 텐데
알아 차려주지 못해서, 아니, 알아차림이 늦은 것 같아 미안해서, 더 일찍 유아기, 아동기 때 알아차림을 해주었다면

흥분된 아이의 감정을 잠재우고,
두 눈을 마주하며 단호하면서도 부드러운 어조로
"바닥에 엎드려서 소리를 지르거나 무는 행동은 절대로 하면 안 되는 행동이야"라며 말밖에는 할 수 없던

속상함이 마음 한편 아리다.

8명의 아이, 담임선생님2, 사회복지사와 함께

[내가 만난 아이들 詩 감상평]

4시,
하나둘씩 활동실로 모인다.
30분까지 간식을 먹고,
먹은 간식의 재활용 물건은 아이 한 명이 분리수거 하는걸
너무 좋아해 자처한다.

분리수거 마치고 돌아온 아이는 신이 나 있다.
아이들은 복지관의 다양한 수업을 통해
무엇을 좋아하는지, 어떤 것을 잘하는지, 무엇이 싫은지
알 수 있고, 경험하며, 앞으로 미래에 대한 자립을 꿈꾸고 있다.

가위질을 통해 소근육을 키우고, 서툴고 느리지만 배워간다.
아이들에게 미술시간에 사용되는 8절지 도화지는 자기욕구를
그대로 표현할 수 있는 아이들의 세계이기도 하다.

8절지 도화지에서 아이들 세계에, 샘들은 어떠한 간섭이 필요
없다. 다만, 옆에서 지시하지 않고 안되는 부분에 도움을 줄 뿐,
색칠도 아이들이 원하는 색깔을 선택할 수 있도록 기다려주는
시간이 필요할 뿐이다.

이 아이들은 느리지만, 천천히, 기다림의 시간이 필요하다.
바라보는 우리의 기다림에는 아이들의 미래 자립을 꿈꾸게 한다.

마음 나눔 기도

내 마음을 살펴본다.
의식적으로 내 생각과 행동을 살펴본다.
매일의 삶 속에서 내면을 살펴본다.

그리고,
감사했던 순간을 느끼게 해달라고 기도한다.

가장 큰 감사와 소소한 감사 순간을 느낄 수 있게 기도한다.
감사하지 않지만 그럼에도 불구하고 감사할 수 있었던 것에
기도한다.

마음 나눔 기도를 통해
나를 지으신 하나님을 인식하고
나를 알아차림으로 매일 매일 감사 기도

그 자리, 나의 무릎으로 순종하고 싶다.

고백

[마음 나눔 기도 詩 감상평]

의식적으로 내 생각과 행동을 살피거나 성경 말씀에 비추어
매일의 삶을 돌아보며 나의 내면을 성찰하는 내 마음 살펴보기

시편 139편 23, 24절 말씀 중에서
"하나님이여 나를 살피사 내 마음을 아시며, 나를 시험하사 내
뜻을 아옵소서, 내게 무슨 악한 행위가 있나 보시고 나를 영원한
길로 인도하소서"

게으름과 나태함으로 나의 영과 육이 깨어 근신하지 못함에도
그럼에도 불구하고
나를 알아차리기 위한 끊임없는 마음 나눔 기도 자리를 버릴 수
없음은 내 마음과 내 뜻과 내 길을 분명히 아시는 그분이
있기에 나는 순종할 수밖에 없음을 고백한다.

이해한다는 것은

관계에서 이해한다는 것은
상황에 대해 인지하고 받아들임이다.

짜증을 내고, 화를 내더라도
그 상황을 바로 알면
이해하게 되고 공감하게 된다.

그래서,
이해한다는 것은 '앎'을 통해
공감을 얻는다.

스토리 텔링

[이해한다는 것은 詩 감상평]

타인이 살아왔던 그들의 스토리를 알게 되면
우리는 타인의 삶을 이해하게 된다.

어떤 상황에
황당한 태도를 보일지라도

타인의 인생 스토리는
관계를 계속 이어갈 수 있게 하는
알아지고 이해되고 공감하고 소통하게 된다.

바라봄의 인식

장애,
내가 만난 첫 장애인,
중추신경 계통에 장애가 생겨
정신 발달이 늦은 지적장애 아이였다.

길을 잃어버려
헤매는 듯한 우왕좌왕 모습을
본, 20살 때 나는
그 모습이 안쓰러워

경찰서로 데려다주었던 경험이
내, 첫 경험
난, 그렇게 그들을 바라보는 시선이
자연스러웠다.

불편함은 거부감과 함께 찾아오는 맘 일수도
난, 그런 불편함이 없었나 보다

그들에 대해 잘 알지도, 알 수도 없었던 난,
말을 걸고, 잘 알 수도 없는 대화로 길을 잃어버린 듯한
아이를 그리 챙겼다.

바라봄은, 관점과 경험이 모여 인식이 되고
인식은, 시선으로 옮겨지면서,
50세 중반에도 여전히
난, 그들의 언어와 몸짓이 자연스럽다.

시선이 바뀌면

[바라봄의 인식 詩 감상평]

바라보는 관점이 달라지면
바라보는 시선도 달라진다

함께 걸어갈 수 있는 관계라 인식한다면
방법과 방향의 올바름을 찾아낼 것이다

함께 같이 걸어갈 수 있는 방법을 찾아서
그 누구도 불편한 마음 없이

시선이 자연스러워지는
선한 사회가 되길 꿈꾼다.

사랑하고 이별하고

후회 없이 최선을 다해 사랑하면
이별 또한 성숙하게 이별할 수 있을 것 같았는데

부모의 이별, 자식의 이별,
친구의 이별, 연인과 이별
반려견과 이별 등

그리움이 그리움이
사무쳐서 해야 할 일들을 못하고
머물러 있을 때,

순간,
정신이 번쩍 들어, 해야 할 일들을
하나둘씩 의연하게 해나간다.

최선을 다한 사랑은
아름다운 이별이기에

아름다운 이별은
좋은 추억과 그리움으로
앞으로 앞으로 전진하게 한다.

이별은 또 다른 그리움의
시작이고, 후회 없이 최선을 다한
사랑이기에

유효기간

[사랑하고 이별하고 詩 감상평]

만남이 있으면
헤어짐이 있고

삶이 있다면
죽음이 있고

우리 인생은
시작과 끝이 있는
시간 안에 살아간다

그렇게
알 수 없는 관계의 유효기간에
살아가는 우리 인생

맞이할 때 잘 맞이하고
보내야 할 때 잘 보낼 줄 아는
그런, 삶이 고 싶다.

우리
인생이 시간 속 유효기간에서
삶을 살아내는 것처럼

2장 에세이
내가 머무는 곳, 하사랑 공동체

사랑하는 나의 벗

인생을 살면서 나는 감사가 참 많았던 거 같다.
지금 글을 쓰려다 보니, 과거와 현재, 지금, 이 시간도 감사가 많으니 미래도 선 감사하련다. 사람을 좋아하고, 사람의 움직임이 있는 공간에서 그들을 관찰하는 것을 좋아하는 나는, 소소한 일상을 함께 공유할 수 있는 벗들이 있어, 참 좋고 귀하다.

나에게는 몇십 년을 내 곁에 두고 있는 벗들이 있다.
항상 보지 않아도, 각자도생하며 살아가지만, 곁이 필요할 때 언제든 그들의 곁을 내어주는 벗들이 있어 좋다.

사랑하는 나의 벗들이 내 곁에 오래오래 건강하게 지금처럼 무심한 듯 잘 살아내길 바란다. 우리가 더 나이가 들었을 때 어렸을 때의 추억을 기억하고 공감할 수 있길 바란다. 현재 서로를 바라보며 꽁알거릴 수 있는, 나이든 우리 모습을 유연하게 받아들이고 감사할 줄 아는 벗이길 바란다.

그리고 끝까지 내 곁에 남아서 인생의 여정에 대해 함께 꽁알거릴 수 있길 소망한다. 좋은 사람과 함께 인생을 살아간다는 것은 참 행복한 일이다. 지구상에서 같은 시대에 만나 서로 소중한 벗으로 만남을 이어간다는 것 자체가 큰 축복이다. 그래서 나의 벗들에게 존재해줘서 고맙고, 감사하고, 사랑한다고 전한다.

나의 사랑이 머무는 곳, 하사랑 공동체

내가 다니는 교회 8층에는 발달장애인들이 함께 예배를 드리는 '하사랑 공동체'가 있다.

하나님이 사랑하는 자녀들이 함께 예배드리는 '하사랑 공동체' 매주 나는 본 예배를 드리고 8층으로 올라가 섬김이로 발달장애를 가지고 있는 예배자들과 예배를 드린다.

이곳에는 지적지체장애인과 자폐성을 가진 아이들, 청년들이 함께 찬양도 부르고, 율동도 하며, 말씀 듣고, 기도하고 서로가 서로를 축복해주는 '하사랑 공동체'가 있다.

다 같이 예배 준비와 기도로 모인다. 마음과 뜻과 힘을 다해 예배를 시작하고 예배자로서 찬양하며, 믿음으로 사도신경을 고백하고, 말씀 듣고, 서로 교제한다.

예배자와 섬김이 들은 서로에게 팔을 뻗어 바라보며 "여호와는 네게 복을 주시고 너를 지키시기를 원하며 여호와는 그 얼굴로 네게 비취사 은혜 베푸시기를 원하며 여호와는 그 얼굴을 네게로 향하여 드사 평강 주시기를 원하노라"라고 서로를 향해 축복해 주며 목사님의 '하사랑 공동체'를 위한 '축도'로 예배는 마친다.

그리고 예배자와 섬김이들은 각자 파트너들과 공과 시간을 통해 나눔을 가지며 교제 한다. 이 시간이 참, 귀하다.

한 주 동안 어떤 일상을 지냈는지, 또 공과 공부를 통해 예수님이 우릴 향한 마음에 대해서도 나누는 시간이기 때문이다. 1 년이 지나고, 2년이 지나고 3년째 들어서는 지금에서 하사랑 안에 함께하는 아이들 한 명, 한 명, 청년들 한 명, 한 명, 성인들 한 명, 한 명이 느껴진다.

이들의 표정에서, 몸짓에서, 눈빛에서, 무얼 말하고 싶어 하는지, 이젠 조금은 알 것 같다. 하사랑 안에 내가 머무르게 되면서 나의 마음에 사랑이 스며든다. 나에게 그들이 곁을 내어주므로 소통할 수 있고 공감할 수 있었기 때문이다.

하사랑 예배자들에게 사랑한다 전하며, 예수님이 우리에게 향하신 말씀 “사랑하는 자여 네 영혼이 잘 됨같이 네가 범사에 잘되고 강건하기를 내가 바라노라”말씀을 ‘아멘’ 으로 받고 이쁜 신앙의 믿음 자라나, 세상에 담대해지고 강건하길 기도한다.

하사랑 예배자들 위해 항상 기도하며, 모두 건강하고 사회에 나가서 씩씩하게 잘 살아 낼 수 있기를 바라고 원하고 소망한다.

체중감량

난, 올 한 해 동안 체중감량 10킬로그램을 선포했다. 지난해를 보내고 올해 1월, 체중감량을 해야 할 나의 신체를 의식하며, 하지만 난 최고수치에서 2킬로그램 빠진 숫자를 찍고, 다시 2킬로그램 늘어난 숫자가 되었다. 체중계 수치는 어제오늘 최고치 숫자 근사치에서만 오르락내리락…

2024년 새해 1월이 지나고 2월이 된 지금도 숫자변동은 오르락내리락에 지키지 못한 스스로 약속과 독하지 못했던 나 자신, 나의 주도성 없는 행동들이 자각하게 만든다.

2월의 화요일 저녁 7시, 요가를 배우러 센터로 나갔다.
많은 사람이 열심히 운동을 하고 있는 것을 매번 느끼며, 오늘 저녁도 꽉 찬 요가실에 내 자리에 매트를 깔고 선생님을 따라 스트레칭하며 안 쓰는 근육을 풀어주면서 내 몸의 근육들을 이완시켜 준다.

호흡은 안정되고 근육들이 이완되면서 가벼운 몸이 될 즘 어느덧 요가수업이 마쳐지고, 요가 인사 "나마스테"로 인사를 나누고 일어선다. 회원들이 일어나 집으로 돌아가는 발길에 요가선생님의 말씀이 뇌리를 스쳤다.

"회원님들, 설 연휴 잘 보내시고 새해 복 많이 받으세요"라며, "새해가 다시 시작됐어요, 우리 다시 파이팅요" 그 말이 나한테

왜 그리 위로가 되던지, 체중감량을 지키지 못했던 나를 질책했던 마음이 있어서였을까, 그 말이 뭐라고 나에게 눈물 날 정도로 엄청난 위로의 말이 됐을까, 아마도 나는 체중 감량에 대한 지키지 못한 나를 생채기를 내고 있었나 보다.

구정 설로 인해, 덤으로 받은 새해 다시 시작해본다. 식단과 운동으로 계획하고 실천해보자. 내 몸이 가벼워지고 건강해지기를 바라면서 다시 나에게 힘내 본다.

삶의 질은 건강함에서 지킬 수 있다는 걸, 난 알고 있다.
지난 5년 완치판정을 받고 2년에 시간이 흐른 7년 전 몸이 무척 아팠던 시간이 있었기 때문이다.

비만 세포 하나가 암세포 하나를 만들어 낸다는 의사 선생님에 섬찟한 말씀 새기면서, 오늘도 난, 내 건강의 다이어트를 해야만 하는 이유를 인식하고, 실천해본다.

2024년 12월, 마지막 달을 잘 보내고, 내 체중의 그램 수도 잘 보내길 바라면서...

에필로그

올해, 2월부터 시작한 글쓰기는 좀처럼 쉽게 써지지 않았다.
하루하루 나의 감성이 글을 쓰기에 적합할 때까지 감성을 기다렸다. 감성이 채워지지 않았다. 글을 써야 된다는 의무감이 감성을 자유롭게 채울 수 없게 되었다.

2월부터 시작한 글쓰기는 어느덧, 봄이 지나, 여름의 문턱으로 들어선다. 시간이 흐르고, 계절이 바뀔 때쯤, 여백에 단어들을 써 가면서, 문장을 만들어 내고 감정을 얹어 본다.

나의 사랑하는 사람들, 내가 버리고 싶은 나, 가지고 싶은 나를 담고, 지금의 일상에 대해 얹어 본다. 나를, 담은 시 안에는 나를 닮은 내가 존재한다.

마치 나의 민낯을 보여주는 것 같아 부끄럽지만, 이 책을 통해 나를 발견해 줄 수 있는 또 누군가가 존재한다면 무척 감사한 일이라 생각한다.

글쓰기를 통해, 내 감정과 바램, 일상의 상황, 중년에서 노년의 시간을 어떻게 준비해야 할지를 사색하게 되고 기록하게 되었다. 좋은 습관은 비워짐에서 채움으로 여백을 채워 가고, 내 삶의 여백도 나를 인지하고, 내 시간을 재구조화하는 방향으로 이끈다.

글쓰기를 통해 나를 통찰하고, 사색하며, 내 안의 버리고 싶은 나, 가지고 싶은 나를 발견해 가면서 나를, 담은 시 안에는 나를 닮은 내가 존재한다.

2024년 6월

계 선 미